ISBN : 2-07-054837-6
Titre original : *Peter und der Wolf*
© Annette Betz Verlag, 1979, Wien-München
© Éditions Duculot, Paris-Gembloux,
pour la traduction française
© Gallimard Jeunesse, 2001, pour la présente édition

Numéro d'édition : 140873
Loi n° 46-956 du 16 juillet 1949
sur les publications destinées à la jeunesse
1er dépôt légal : octobre 2001
Dépôt légal : novembre 2005
Imprimé en Italie par Editoriale Lloyd
Réalisation Octavo

Serge Prokofiev · Erna Voigt

Pierre et le loup

GALLIMARD JEUNESSE

Pierre et le loup *n'est pas seulement une histoire à lire et à regarder. Le compositeur Serge Prokofiev a écrit sur ce conte une musique merveilleuse. De très nombreux enregistrements sur disques ont été réalisés ; ils ont rendu ce conte musical pour enfants célèbre dans le monde entier. Un récitant raconte l'histoire et chaque personnage est représenté dans l'orchestre par un instrument différent :*

Violon

Pierre, par les violons,
l'oiseau, par la flûte,
le canard, par le hautbois,
le chat, par la clarinette,
le grand-père, par le basson,
le loup, par trois cors
et les coups de fusil des chasseurs
par les timbales et la grosse caisse.

Découvrons maintenant l'histoire :
elle commence de façon paisible,
mais cela ne va pas durer longtemps…

Un beau matin, le petit Pierre
ouvrit la grille du jardin…

et s'en alla dans les grands prés verts.
Sur la plus haute branche d'un grand arbre,
était perché un petit oiseau, ami de Pierre.

– Tout est calme, ici, gazouillait-il gaiement.

Flûte

Un canard arriva bientôt en se dandinant,
tout heureux que Pierre n'ait pas fermé
la grille du jardin. Il en profita pour aller
faire un plongeon dans la mare, au milieu
du pré. Apercevant le canard, le petit oiseau
vint se poser sur l'herbe, tout près de lui.
– Quel genre d'oiseau es-tu donc, si tu ne
peux voler ? dit-il en haussant les épaules.

À quoi le canard répondit :
– Quel genre d'oiseau es-tu, si tu ne peux
nager ? Et il plongea dans la mare.
Ils continuèrent à se disputer, le canard
nageant dans la mare, le petit oiseau
voltigeant le long de la berge.

Hautbois

Soudain, quelque chose dans l'herbe attira
l'attention de Pierre.
C'était le chat, qui approchait en rampant.
Le chat se disait : « L'oiseau est occupé
à discuter ; je vais en faire mon déjeuner ! »,
et, comme un voleur, il avançait sur ses
pattes de velours.

– Attention ! cria Pierre, et aussitôt,
l'oiseau s'envola sur l'arbre, tandis
qu'au milieu de la mare, le canard
cancanait furieusement contre le chat.
Le chat, lui, rôdait autour de l'arbre
en se disant : « Cela vaut-il la peine
de grimper si haut ? Quand j'y arriverai,
l'oiseau se sera envolé ! »

Clarinette

À ce moment, le grand-père apparut.
Il était mécontent de voir que Pierre
était allé dans le pré.
– C'est un endroit dangereux !
Si le loup surgissait de la forêt,
que ferais-tu ?
Pierre ne fit aucun cas des paroles
de son grand-père.

Des garçons tels que lui n'ont pas
peur des loups. Mais le grand-père
prit Pierre par la main, l'emmena
à la maison et ferma à clé la grille
du jardin.

Basson

Il était temps ! À peine était-il rentré
qu'un grand loup gris sortit de la forêt.

En un éclair, le chat grimpa dans l'arbre.

Cor

Le canard se précipita hors de la mare
en cancanant.

Mais il avait beau courir, le loup
s'approchait de plus en plus vite,
de plus en plus près, plus près encore…
Il attrapa le canard et n'en fit qu'une
bouchée.

Hautbois

Et maintenant, voici où en étaient les
choses : le chat était assis sur une branche…
l'oiseau posé sur une autre, à bonne
distance du chat, bien sûr… tandis que
le loup tournait autour de l'arbre en les
fixant tous deux de ses yeux gourmands.
Pendant ce temps, derrière la grille
du jardin, Pierre observait la scène,
sans la moindre frayeur.

Il courut à la maison, prit une grosse corde
et grimpa sur le mur de pierre.
Une des branches de l'arbre
autour duquel tournait le loup
passait par-dessus le mur.
Pierre saisit cette branche
et monta dans l'arbre.

Violon

Pierre dit alors à l'oiseau :
– Vole très bas et tourne autour de la tête
du loup, mais prends garde qu'il
ne t'attrape.
De ses ailes, l'oiseau touchait presque
la gueule du loup qui faisait des bons
furieux pour essayer de le happer.

Oh ! que l'oiseau agaçait le loup !
Que le loup avait envie de l'attraper !
Mais l'oiseau était bien trop adroit
et le loup s'énerva en vain.

Flûte

Pendant ce temps, Pierre avait fabriqué
un lasso. En le laissant descendre tout
doucement, il parvint à attraper le loup
par la queue. Il tira de toutes ses forces.
Se sentant pris, le loup se mit à faire
des bons sauvages pour tenter de se libérer.

Mais Pierre attacha l'autre extrémité
de la corde à l'arbre. Plus le loup bondissait,
plus la corde se resserrait autour
de sa queue.

Violon

C'est alors que les chasseurs sortirent
de la forêt.

Ils suivaient les traces du loup et tirèrent
des coups de fusil.

Timbale

Du haut de l'arbre, Pierre leur cria :
– Ne tirez pas, le petit oiseau et moi nous
avons déjà attrapé le loup !

Aidez-nous à l'amener au jardin zoologique !

Timbale

Et maintenant, imaginez la marche
triomphale… Pierre en tête, derrière lui,
les chasseurs traînant le loup, et, fermant
la marche, le grand-père et le chat.
Le grand-père, mécontent, hochait la tête :
– Ouais… et si Pierre n'avait pas attrapé
le loup, que serait-il arrivé ? disait-il.
Au-dessus d'eux, le petit oiseau
gazouillait gaiement :
– Comme nous sommes braves,
Pierre et moi !
Regardez ce que nous avons attrapé !

Et, si vous écoutez très attentivement,
vous entendrez le canard crier dans
le ventre du loup, car, dans sa hâte,
le loup l'avait avalé vivant.

Hautbois

folio benjamin